À
aux

Comme si le quotidien
Avait lieu plus souvent
Qu'à tous les jours.

Louis

xxx

PETITS FORMATS
(entre avril et novembre)

Les Écrits des Forges, fondés par Gatien Lapointe, existent grâce à la collaboration de l'Université du Québec à Trois-Rivières.

Le ministère des Affaires culturelles et le Conseil des Arts ont aidé à la publication de cet ouvrage.

Distribution

En librairie:
Diffusion Prologue
2975, rue Sartelon
Saint-Laurent, H4R 1E6
(514) 332-5860

Autres:
Diffusion Collective Radisson
C.P. 500
Trois-Rivières, G9A 5H7
(819) 376-5059

ISBN: 2-89046-123-8

Dépôt légal / Quatrième trimestre 1987
BNQ et BNC

Donald Alarie (St. Charles - Baromée)

PETITS FORMATS
(entre avril et novembre)

Écrits des Forges
C.P. 335
Trois-Rivières, G9A 5G4

DU MÊME AUTEUR

LA RÉTROSPECTION, Montréal, CLF/Pierre Tisseyre, 1977, Prix littéraire Gibson 1978

JÉRÔME ET LES MOTS, Montréal, CLF/Pierre Tisseyre, 1980, Prix Jean Béraud-Molson 1980

LA VIE D'HÔTEL EN AUTOMNE, Montréal, CLF/Pierre Tisseyre, 1983

UN HOMME PAISIBLE, Montréal, CLF/Pierre Tisseyre, 1986

EN COLLABORATION

ANIMAGES ANIMOTS, (avec Jean Charlebois), Montréal, HMH, 1971

LA VISITEUSE et LE DRAGON BLESSÉ, (avec Claude R. Blouin), Trois-Rivières, APLM, 1979

Cet ouvrage a remporté
sur manuscrit le prix littéraire
Marcel-Panneton 1987

"*Écrire, inscrire de la matière dans la matière. Et le corps, vraiment, s'y désâme. S'attarde un petit brin de vie sous le clair-obscur des jours et des nuits, il y a si longtemps, et c'est si vague, mais cela serre encore le coeur. Un mot banal, une locution familière, comme des objets trouvés sur le trottoir auprès des poubelles trop pleines, voilà qui toujours m'étonne. Je me sens bien dans nos lieux communs. C'est au fond du quotidien que gît le merveilleux.*"

Jacques Brault, **Trois fois passera**

Tout le jour nous avons respiré la lumière d'avril, nos masques de froid posés sur la table parmi les miettes du pain quotidien. Les larmes joyeuses du printemps coulent sur les joues ridées. L'ombre de l'été se cache dans un vieux cabanon, derrière des guidons de bicyclettes et des outils rouillés. Les mitaines de laine se retirent, piteuses, au fond des poches, sans insister. Nous vivons maintenant à découvert, avec notre seul regard, silencieux. Éblouis. Nos mots d'hiver sont rangés dans un tiroir, inutiles pour l'instant, dans la naphtaline.

AVRIL

Après les nouvelles de fin de soirée, on la trouva étendue sur la moquette du salon. Elle avait, elle aussi, deux trous rouges sur sa poitrine nue. "Tuée par les actualités". C'est un fait divers poussiéreux déjà dont personne ne veut s'occuper.

LA DORMEUSE

Une volée d'enfants s'est posée au coin de la rue. Battements de cris à l'heure de pointe. Les réverbères n'arrivent plus à s'allumer. Le métro, intrigué, refait surface. Certains automobilistes s'étirent le cou pour voir qui manifeste ainsi.

HEURE DE POINTE

Les grandes odeurs de mai forcent notre fenêtre à ouvrir l'oeil, à tendre l'oreille. La maison respire à nouveau. Tu as des parfums dans la voix et ta démarche inspire la tendresse. Tant de candeur nous fait du bien... Mais pourquoi ces jeunes motards tiennent-ils à ce point à faire du bruit?

PARFUMS

Le froid a surpris les baigneurs impatients. Sur la mer, des oiseaux figés dérivent. Le château de sable est devenu un iglou. La peau, bronzée à peine, se cache, honteuse. Seule la belle nageuse réchauffe les vagues. Un parasol l'encourage d'un signe discret.

FIN MAI

La nuit, juste avant l'aube, dans le silence gris, les tableaux se parlent d'une pièce à l'autre de la maison. Tania s'étire le cou et, mine de rien, essaie d'attirer l'attention des deux jeunes femmes aux chatons. Le paysage marin (mais est-ce bien de cela qu'il s'agit?...) se déplace lentement vers le brouillard de Saint-Hilaire. Il n'y a que la demoiselle au chapeau qui, seule dans la salle à manger, ne semble pas prendre part aux échanges de couleurs. Dès les premières lueurs de l'aube, les mondanités sont finies. C'est un secret bien gardé par les insomnieux et par les insomnieuses.

CHUCHOTEMENTS

16

Quelqu'un frappe à la porte. Est-ce un chien égaré ou la mort qui me fait signe?

?

Aussitôt le soleil disparu, l'asphalte se recouvre de mots de pluie. Méditant sous des parapluies bleus ou rouges, les passants n'arrivent plus à décoder ce texte liquide. Sur les parquets des salles d'attente, des traces de sens sèchent. S'évaporent.

TRACES

L'heure du réveil. Les rêves encore tièdes s'étirent et geignent au fond de la gorge. Des soupirs se glissent sous la langue malheureuse. Le pain est trop grillé, la dent peu aiguisée. Et le filtre boit l'eau du café, indifférent. Dans les toussotements des moteurs, les paupières du lundi matin font la gueule. Le métro, comme un monstre mythique, laboure la tête, fait vibrer les os. Pendant ce temps, le journal blotti au creux de l'aisselle se repose. Courir, feindre, parler, plier le genou et s'émouvoir à la fois. Courir, feindre, parler, etc. Plus tard, beaucoup plus tard, se glisser en coulisse et renaître en fermant les yeux.

DÉBUT DE SEMAINE

Des oiseaux s'échappaient timidement de sa bouche. Ils ne vivaient que le temps d'un soupir, mais cela créait dans l'air un froissement soyeux. Durant tout le jour, on n'osa l'approcher de crainte de priver le monde de ces battements d'elle.

ELLE

Nos phrases bien ciselées se sont desséchées, abandonnées à elles-mêmes, sous le soleil de juin, à deux pas d'une piscine à l'eau pourtant bien filtrée.

BAIGNADE

Des fleurs blanches glissent au loin, dans l'eau du vent. Un bouquet habité. Et qui tangue. Les baigneurs joyeux sont fascinés, mais jaloux.

VOILES

Des rumeurs de suicide glissent le long du corps fatigué, caressent la douceur du cou, tentent d'emprisonner les bras et les jambes. Pourtant, la tête baladeuse continue de voyager sur les images du téléviseur. Elle était l'autre jour à New York et le lendemain à Paris interrogée dans un commissariat de police. Elle s'enrichit à vue d'oeil. Parfois elle chante, une eau gazeuse à la main. Ailleurs elle donne le bras à un jeune adolescent bouclé. À Rome, elle était une fontaine; à Vienne, une fiancée égarée. Elle s'en met plein la vue. Elle fait comme si.

LES BELLES IMAGES

Tout un samedi à ne rien faire. Et la soirée qui s'endort dans la chaleur humide. Même les grands écrans des cinémas n'y peuvent rien. Un samedi boudeur. (Qui sommes-nous?) Un samedi passoire. (D'où venons-nous?) Un samedi où on a le coeur comme des jeans trop usés. (Où allons-nous?) Brusquement, qui regardent la rue, deux yeux d'enfant. Nous restons là quinze minutes, à n'en pas revenir. La terrasse et ses clients bavards peuvent bien attendre un peu. Un tout petit tableau. Si beau.

ART FIGURATIF

Il a un mot entre les dents, un mot caché entre ses dents déjà jaunes. Un mot qui tourne sa langue sept fois avant de... Un mot calme même si parfois il voit rouge. Un mot à la barbe blanche et aux cheveux longs. Un mot qui en a vu d'autres. Un mot rond. Bien vivant. Et pourtant, s'il sortait tout à coup, tous resteraient bouche bée. Mais lui, bien sagement, il préfère se réfugier une fois pour toutes, derrière la barrière confortable des dents.

REFUGE

Le lait frileux se répand dans les plis du tapis gris. Leurs cris fusent de partout et lui, dieu de ces eaux, se tient debout et fier à la fois. Tout bouge autour. Que faut-il faire? Subrepticement il quitte les lieux. Au-dessus d'eux et des grandes eaux qui se retirent dans le gris laineux, un ange passe. Il peut tout, même jouer à être absent, même jouer à être maladroit, le dieu aux mains d'argile.

ENFANT

Les belles noyées de juillet, voyageuses secrètes, refont surface sans dire un mot. Le soleil est mal à l'aise dans ce ciel trop bleu. Le vent ne sait plus où aller se cacher.

VISITEUSES

À son retour, on lui posa de nombreuses questions. On voulait savoir ce qu'il avait vu, ce qu'il avait retenu de ces longs mois de voyage. On s'attendait à le voir parler avec fougue des expériences enrichissantes qu'il avait vécues. Les mots qu'il prononça les déçurent au plus haut point. Ce n'était pas là le discours qu'ils espéraient entendre. Tout le monde quitta la salle où il devait prendre la parole, sauf une jeune fille qui n'avait pas encore ouvert la bouche. Elle s'approcha lentement de lui comme pour mieux le regarder: "J'aime bien ce qu'il y a de nouveau dans vos yeux", dit-elle avant de quitter les lieux en chantonnant.

LA COULEUR DES YEUX

Un mot glisse jusque dans la marge, une virgule derrière lui. La phrase respire péniblement. Le texte se fige. Son stylo demeure perplexe.

MOMENT DE VÉRITÉ

Les fenêtres éclairées sont les yeux des maisons ouverts sur la nuit. On y voit des ombres dire les dernières répliques du jeu quotidien. Spectacle intime pour voyeurs sans sommeil et enfants égarés.

INSOMNIE

Il se coucha au milieu de la chaussée et tira jusque par-dessus sa tête le large drap de la nuit urbaine. Il fit des rêves pleins de vrombissements. Une odeur d'huile l'éveilla avant l'aube, mais il réussit tout de même à se rendormir. Heureusement.

SOMMEIL PROFOND

Elles se sont réfugiées sous un grand châle de rires. On devine leurs épaules courbées dans les plis de la joie.

SPECTACLE DU BONHEUR

Il tendit la paume de la main pour sentir le blanc de neige et les autres couleurs. Il voulait découvrir la surface aveuglément d'abord. Ensuite, il vit la blessure ourlée et il put entendre la vague crayeuse glisser dans son regard.

**DEVANT UN TABLEAU
DE FERNAND TOUPIN**

Les jeunes loups de la rue ont sorti leurs griffes. Ils laissent derrière eux des sillons rouges et noirs, dessinent des figures de révolte sur les portes du métro, se sauvent en hurlant. La ville tremble, puis fait mine de tout oublier.

CRIS

Lorsque l'enfant dormait, il allait s'asseoir dans le salon, un livre ouvert sur les genoux. Il avait désiré depuis le matin ce moment de repos, mais au lieu de lire, il se contentait de rêvasser. Parfois, il écoutait un disque de Bill Evans intitulé **You Must Believe In Spring**. Il imaginait pour son enfant un beau et grand destin, une vie de bonheur. Chaque jour, il lui construisait ainsi un avenir réussi. Qui sait, peut-être écrirait-il les livres que lui-même n'avait jamais osé entreprendre... Il se disait que puisqu'il lui avait donné la vie, il se devait de tout prévoir. Il reprenait sa rêverie tous les jours, car lorsque l'enfant s'éveillait, il n'était plus sûr de rien. Et il avait peur.

AU CREUX DE L'APRÈS-MIDI

Au bout de la ruelle, un cadavre déjà couvert de mouches derrière des poubelles renversées. Un peu plus loin, au milieu de la chaussée, une femme tuée accidentellement, son sac à main ouvert, impudique. On dit que les lames sifflent dans les bars, font taire la musique et se refroidir les danseuses. Depuis hier, des vieillards fatigués refusent de manger et de voir leurs enfants. Et ta fille de quinze ans qui n'ose plus sortir le soir... Le monde s'épuise à remplir le journal, à meubler les espaces blancs entre les annonces publicitaires. L'âme du jour s'étale dans les quotidiens: un peu froissée, pas toujours bien imprimée, effacée par endroits, mais sans gêne et sans retenue.

TYPOGRAPHIE

Je les entendais parler et rire derrière la cloison. Au timbre de leurs voix, je les imaginais blondes. C'était idiot, mais je ne pouvais m'empêcher de penser cela. Je m'endormis et, dans mes rêves, il y avait de grands oiseaux blancs qui traversaient le ciel. Je ne comprenais pas ce que leurs cris signifiaient, mais je les savais heureux de côtoyer la lumière. Au réveil, je réalisai que la chambre voisine était libre. Je quittai l'hôtel. J'adore marcher sous la pluie.

À L'HÔTEL

Elle aimait bien penser que les mots avaient chacun leur couleur propre. Avec une telle idée, elle ne pouvait lire ou écrire longtemps, car les marges de ses volumes et de ses cahiers se remplissaient d'elles-mêmes d'étranges petits croquis souvent saisissants.

LA COULEUR DES MOTS

Les rires des enfants se faufilent entre les voitures. La rue est une plage. Personne ne voit pourtant venir la vague qui fera taire les klaxons et s'étouffer les moteurs. Les feux de circulation auront bientôt les yeux bouchés, puis crevés. La ville sera un terrain de jeu en bordure de la mer.

PLAGE

Fatigué, il déposa sa tête sur le trottoir. Peu à peu, ses fantasmes se mêlèrent à l'eau de pluie. Quelques passants furent éclaboussés.

EAU DE PLUIE

Les lampadaires clignent de l'oeil, courbent la tête dans la marge des boulevards perturbés. Les oiseaux font la grève, écoeurés, depuis le matin. Ils traversent les rues, la pancarte sur l'épaule, l'aile en bandoulière. Pas question pour eux de pointer, ni de respecter les ordres. Les plans de vol sont mis de côté pour l'instant. On murmure dans leur dos, parce qu'ils ne dessinent plus dans le ciel.

GRÈVE

Bourrasque. Tambourinage des poubelles. Il neige des déchets en plein coeur de l'été.

12 JUILLET

Elle et lui. Ils étaient partis cueillir des fleurs et ramasser des coquillages. Ils avaient parlé d'une promenade de quelques heures. "Après avoir traversé le petit bois, nous profiterons un peu de la plage et peut-être nous laisserons-nous tenter par la fraîcheur de l'eau..." Le bridge terminé, on félicita les gagnants, puis on partit à leur recherche. Près d'un château de sable à moitié léché par la marée, on retrouva deux chapeaux de paille et un bouquet de fleurs des champs. Ils ne semblaient pas avoir pris le temps de faire provision de coquillages.

DIMANCHE APRÈS-MIDI

Dans les mots croisés du quotidien, les lettres se cherchent, jouent à cache-cache, se trahissent, se sauvent parfois la vie. À l'occasion, elles s'égarent complètement entre deux carrés noirs imperturbables. L'alphabet gruge les yeux blottis derrière le verre épais.

UN CRAYON À LA MAIN

En entrant chez elle, elle trouva sur sa table de chevet un bouquet de marguerites jaunes bien placé dans un vase qu'elle était certaine d'avoir déjà vu quelque part. Mais elle avait beau le regarder attentivement, elle n'arrivait pas à se souvenir où exactement. Dans les jours qui suivirent, elle questionna parents et amis. Personne ne connaissait le propriétaire de ce vase. Plus tard, alors qu'elle avait presque oublié cette histoire de marguerites, elle vit le vase dans une revue d'art. C'était le même modèle. Il était dans un tableau intitulé **Intérieur aux marguerites jaunes**. Elle fut bien heureuse d'avoir au moins partiellement résolu cette énigme. Elle se rappela avoir acheté la revue quelques mois plus tôt. Mais elle fut bouleversée de constater que, dans le tableau, les marguerites semblaient moins abondantes qu'avant.

JAUNE

Le temps d'un feu rouge, le monde grisonne.

COIN DE RUE

Tout se passe dans le trou de la serrure. La clé du regard curieux pénètre lentement. La vérité surgit. Vous saute en pleine face. Un oeil crevé s'en va. Dégoûté.

MAUVAISE SURPRISE

Dessiner des nuages dans le ciel n'est rien lorsqu'on est debout dans l'eau et qu'on ne se préoccupe pas vraiment des ailerons de requins qui apparaissent ici et là à la surface. Il suffit de bien se concentrer, de ne penser qu'à son dessin. D'ailleurs, le mérite ne revient-il pas en partie aux poils du pinceau sans lesquels la main ne serait qu'un instrument inutile?

**DEVANT UNE EAU-FORTE
DE CARL DAOUST**

48

Pendant longtemps, ils parlèrent des "grands événements". Il était difficile pour nous de saisir le sens exact de leurs propos. Ils en parlaient un jour en souriant. Le lendemain ils prenaient un air tragique et leurs lèvres bougeaient à peine. Une fois ils se contentaient de vagues allusions, alors qu'à d'autres moments cela durait des heures. Quand nous pensions enfin avoir saisi de quoi il était question, il nous fallait bien admettre que le mystère demeurait entier. Nous passions ainsi par des périodes de profond découragement. Durant une bonne partie de l'année, nous avons essayé d'y comprendre quelque chose. Puis, petit à petit, nous y avons renoncé, préférant nous contenter d'attendre. Tout simplement. Septembre tirait déjà à sa fin.

CURIOSITÉ

Coup de grisou dans la tête. Les images agonisent sur la fin du téléjournal. Je nous reconnais à peine, les yeux brûlés. À cause d'eux, j'angoisse un peu chaque jour. À cause de moi aussi. Un peu. Chaque jour. Le lecteur me fait un beau sourire et me souhaite une bonne fin de soirée, mais ça ne règle rien. Après, il y aura la météo et les nouvelles du sport, mais ça ne réglera rien non plus. Peut-être me laisserai-je distraire par le film qui suivra...

22h.30

De la poussière de fatigue recouvre la peau du visage, assèche les lèvres, cache les rides naissantes. Parfois, les yeux s'ouvrent comme deux phares clignotant dans le brouillard, au bout du quai, faiblement. Les grands cargos du soir dérivent, le souffle court.

VIEILLIR

Des pas s'en vont, nulle part, semble-t-il. Les oiseaux insomniaques font le point, regardent les feuilles céder la place au vent. Des faisceaux de lumière fouillent la nuit. Un chat hésite. Voilà.

UN PEU APRÈS MINUIT

Sur la plage, je façonne délicatement des mots de sable. Le vent sournois jette un coup d'oeil à mon texte.

ÉCRITURE

À quel mystérieux rendez-vous vont-ils donc ces cinq personnages épouvantés? Ils tombent comme Icare dans sa chute légendaire. Et le monde semble tournoyer avec eux comme pour les accompagner. On leur a donné rendez-vous au placard noir qui, paraît-il, est situé sous l'escalier. Est-ce pour mourir? Est-ce pour renaître? Personne ne le sait. Ils ont peur. Notre tour viendra.

DEVANT UN TABLEAU
DE GINETTE DÉZIEL

Il perdit sa vie goutte à goutte, ne fut plus bientôt qu'un puits desséché. Ceux qui lui parlaient pouvaient entendre l'écho de leur voix au fond de sa gorge.

ÉCHO

Le matin venu, dans les vitrines des grandes rues, les mannequins se frottent les mains avant de reprendre la pose pour surveiller les passants-voyeurs. Ils sursautent parfois au bruit de la caisse enregistreuse ou au clignotement d'un néon défectueux. Ceux qui défilent devant eux ont le souffle court et leur haleine fait naître dans l'air de sombres nuages qui ne vivent qu'une seconde à peine. Il fait froid ce matin. Même les arbres ont les bras gelés.

MANNEQUINS DE NOVEMBRE

Tout en continuant de colorier sur le coin de la table de la cuisine, elle demande à son père: "Qu'est-ce qui se passe quand on est mort? Ils l'ont dit l'autre jour à la télévision, mais j'm'en rappelle plus..."

PATERNITÉ

La ville fait l'inventaire de ses os, titube, s'étire, se frotte les yeux. Elle se résout enfin à se coucher le long des rues désertées, au pied des buildings indifférents. Les chats de la nuit la font parfois sursauter d'un coup de griffe. Les oiseaux-bigoudis font des boucles dans ses cheveux.

REPOS

Et l'aube, épuisée encore,
que fait-elle pour se reposer?

PETIT JOUR

"Il y en a qui se consacrent aux grandes choses — et je les admire; il y en a qui s'accordent avec les petites choses — et je les aime. L'errance de l'eau, la rue où le temps mène sa flânerie, le clochard caché en chacun, la patience illuminée d'un mur, voilà des fils conducteurs et que je touche de la main. Pour aller où?"

Jacques Brault, **Trois fois passera**

LES ROUGES-GORGES

ESTACADES

BRAISES

EN CO-ÉDITION

Cet ouvrage, le vingtième de la collection **Les Rivières**, composé en Bodoni corps 11, sous la direction de Louise Blouin et Bernard Pozier, a été achevé d'imprimer en octobre 1987 sur les presses de l'Imprimerie St-Patrice Enr., à Trois-Rivières.

Imprimé au Québec.